Ciencia de primera mano

Plantas y flores

Ciencia de primera mano

Plantas y flores

Lynn Huggins-Cooper

Ilustrado por

Shelagh McNicholas y David Burroughs

EVEREST

Sobre la autora

Lynn Huggins-Cooper es Profesora de Ciencias en la Universidad de Newcastle y está especializada en métodos de enseñanza interactivos. También se dedica a la creación de jardines de vida silvestre para escuelas y dirige un club para la conservación de especies.

Título original: Plants and Flowers
Traducción: Alberto Jiménez Rioja
Editor: Rachel Cooke
Director de arte: Jonathan Hair
Diseño: James Marks

First published in 2003 by Franklin Watts, 96 Leonard Street, London EC2A 4XD
Franklin Watts Australia, 45-51 Huntley Street, Alexandria, NSW 2015

Carretera León-La Coruña, km 5 - LEÓN
ISBN: 84-241-8367-3
Depósito legal: LE. 109-2005
Printed in Spain - Impreso en España

EDITORIAL EVERGRÁFICAS, S. L.
Carretera León-La Coruña, km 5
LEÓN (España)
Atención al cliente: 902 123 400
www.everest.es

Contenidos

A Ruby le encanta la jardinería.

¡Por todas partes!

Ruby está en el jardín de su tía. Le encantan las distintas plantas que allí crecen.

Las plantas crecen en todas partes: en jardines, en parques e incluso ¡en las grietas de las aceras!

Hay muchas clases de plantas diferentes. ¿Reconoces alguna?

Musgo

Helecho

Dedalera

Margarita

Lechuga

Ruby ayuda a su tía a trasplantar unas flores.

Mira, Ruby. ¡Se ven las raíces!

Cada parte de la planta tiene un nombre.

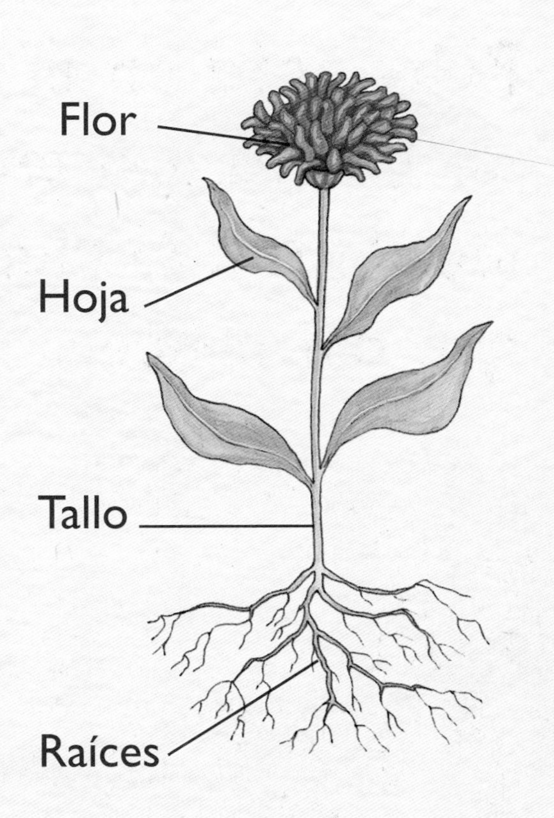

¿Qué parte de la planta no suele verse?

Éste ha sido un largo
y caluroso verano.
Las plantas necesitan agua.
Ruby las riega.

La mayoría de las plantas necesitan luz.

Y también agua.

¿Qué crees que le pasa a una planta si no recibe agua suficiente?

¡Las plantas no pueden conseguir comida yendo de un lado a otro!

Usan energía solar para hacer su propio alimento.

Las plantas tienen un colorante verde con el que producen alimento cuando les da el sol. ¡Por eso son verdes!

A Ruby le encanta contemplar cómo la luz pasa entre las hojas de los árboles.

¿Cómo obtenemos nuestro alimento? ¿Por qué comemos plantas?

Flores fabulosas

Ruby huele unas flores. ¡Su perfume es muy agradable... pero el polen le hace estornudar!

Las flores producen **polen**. A menudo se puede ver en su interior.

El polen es un polvo, que a veces es de color naranja brillante.

Las personas alérgicas al polen sufren lo que se conoce como fiebre del heno: se les irritan los ojos y estornudan con frecuencia.

Ruby observa a los zumbones abejorros que van de flor en flor.

El polen necesita viajar de una flor a otra para que una planta dé **fruto**. El viento y los insectos ayudan a que esto ocurra.

A los insectos les gusta beber el néctar de las flores; se les pega el polen al hacerlo.

Cuando van a la siguiente flor, se les cae polen en ella.

La hierba tiene flores plumosas. ¿Cómo ayuda esto a que el viento esparza el polen?

Hay otro polen, como el de la hierba, que es arrastrado por el viento.

Ruby está recogiendo fruta jugosa en su cesto. Tiene ya moras, manzanas y ciruelas.

Cuando una flor ha sido polinizada, su fruto empieza a crecer. Así crecen las manzanas cada año:

1. Las flores del manzano crecen en primavera. Los insectos llevan polen de una a otra.

¿Cuál es la fruta que prefieres?

2. Cuando la flor ha sido polinizada, los **pétalos** se caen.

3. Entonces empieza a crecer un diminuto fruto verde.

¿Qué crees que encontrarás cuando partas la fruta?

4. Con el paso del verano, la manzana crece más.

5. El sol cae sobre la manzana y la hace madurar. ¡A finales de verano puede comerse!

Las semillas

Ruby se ha comido una manzana. Dentro encontró pepitas marrones, que son un tipo de semilla.

Si plantas esa semilla, saldrá un manzano.

Una **semilla** es una especie de envoltorio que contiene una raíz y un **brote**. De ella nacerá una nueva planta.

Cuando se entierra, lo primero que crece es la raíz.

El brote crece en busca de luz, y las hojas primerizas se despliegan.

Las semillas son pequeñas como la pepita de una manzana o grandes, como el hueso de una ciruela o un melocotón.

Ruby y su tía van a buscar más semillas de las que saldrán nuevas plantas.

¡Ruby ha encontrado unos pequeños pinchos pegados a sus calcetines! Se los quita cuidadosamente.

Las plantas necesitan diseminar sus semillas para crecer. Lo hacen de distintas formas.

Ciertas semillas se adhieren a la piel de los animales para que las transporten.

Otras las ingieren los pájaros con la fruta; luego las "depositan" con sus excrementos.

Ruby lanza al aire las semillas que había en los pinchos. El año que viene serán plantas de bardana.

Muchas semillas permaneceb en el suelo durante el invierno, y comienzan a crecer cuando llega la primavera.

Algunas las disemina el viento.

Algunas se diseminan cuando una vaina explota.

El agua transporta otras semillas.

De semilla a farol

Ruby y su tía han plantado una semilla de calabaza. La diminuta semilla se ha convertido en una enorme planta. ¡Habrá calabazas en Halloween!

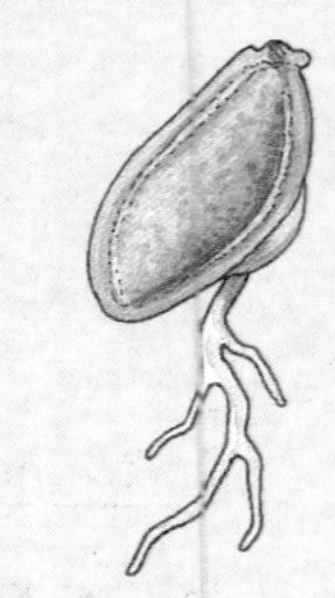

1. Semilla de calabaza. Primero crece la raíz introduciéndose en el suelo.

6. Cuando toma un tono naranja dorado, está madura. Puede cocinarse o ¡convertirse en farol! Guarda las semillas para sembrar más plantas.

2. Luego crecen el tallo
y las primeras hojas.

3. Cuando la planta es
grande, echa flores. Los
insectos las polinizan.

Plantes como plantes
una semilla, la raíz
crecerá hacia abajo
y el tallo hacia arriba.

4. Una vez que la flor
está polinizada, el fruto
de la calabaza crece.
Los pétalos mueren.

5. La calabaza crece y se hincha.
Su color cambia de verde a naranja.

Alimento vegetal

Ruby deja que sus calabazas crezcan. Pero otras cosas ya pueden recogerse... ¡y comerse!

Comemos distintas partes de distintas plantas.

Hojas: lechuga, repollo, albahaca

Tallos: ruibarbo, cardo, acelga

Raíces: nabos, remolachas, zanahorias

Flores: coliflor, brécol

Frutos: pepinos fresas, manzanas, tomates

¿Has comido hoy raíces, tallos, hojas o flores?

¡El repollo mordisqueado por un caracol!

Las plantas usan la energía solar para hacer su alimento.

Los animales comen plantas

y son comidos por otros animales.

Es la **cadena alimentaria**.

Todas comienzan por una planta.

El estanque

La tía de Ruby tiene un estanque en su jardín. Crecen muchas plantas ¡incluso en el agua!

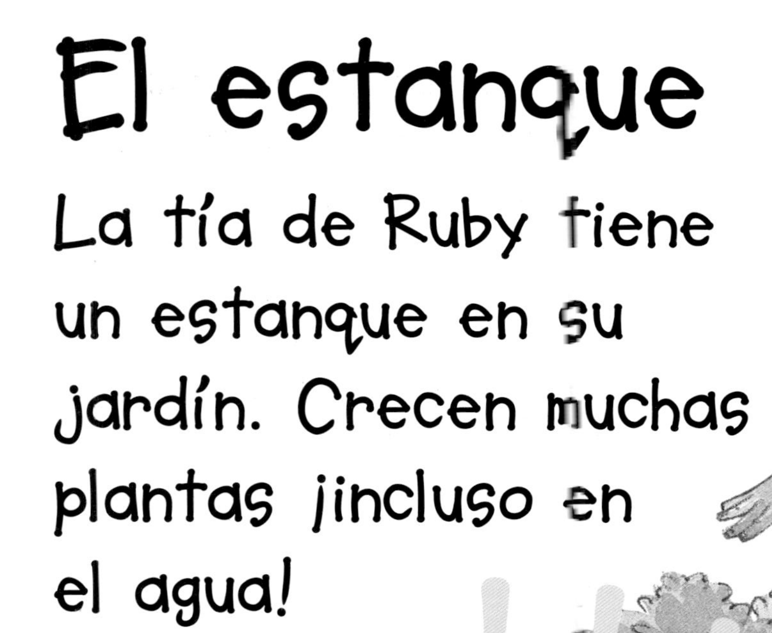

Los nenúfares tienen tallos largos para que sus hojas floten mientras las raíces se hunden en el fondo.

A ciertas plantas les gustan los suelos muy húmedos.

Hierba centella

Juncos

Iris

¡Otras crecen en el agua!

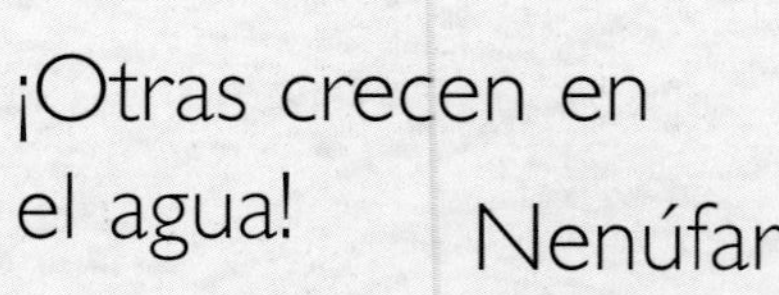

Nenúfar

Rizos de agua

Ruby oye chapoteos.
¡Hay muchas ranas
que saltan en el agua!
En el estanque encuentran
muchas cosas para comer.

Otra cadena alimentaria:
El nenúfar hace su alimento
con energía solar.

Una oruga se come
sus hojas.

La oruga se
convierte en polilla
y una rana se la come.

¿Cómo es esta
cadena respecto a la
descrita en la página 21?

Hojas que caen

Ruby ha visto unas preciosas hojas rojas que caen al estanque. Cambia la estación: de verano pasamos al otoño.

En el otoño, las hojas de muchos árboles cambian de color. Luego se caen. Las nuevas saldrán meses después.

Ciertos árboles están verdes todo el año. Se llaman árboles de hoja perenne.

¿Qué colores te imaginas para el otoño?

El viento ha apilado
unas cuantas hojas.
¡Ruby las pisa y las patea
para que salgan volando!

¡Puedes encontrar cosas
muy interesantes en las
hojas caídas! Por ejemplo:

Durante el año

Ruby se lleva a casa una estupenda cosecha. ¿Qué encontrará en la huerta en su próxima visita?

Adivina a qué estación corresponde cada fotografía.

Encuentra estas plantas en los dibujos. ¿A qué estación te recuerdan las distintas plantas?

Amapola

Rosa

Calabaza

Aceb

Abeto de Navidad

Narciso

Arce con hojas rojas

¡Inténtalo tú mismo!

Juega con las plantas

Plantas que "cierran los ojos"
¿Sabías que las margaritas que crecen en la hierba se cierran por la noche? Compruébalo cubriendo una margarita con una maceta vacía durante un par de horas. ¡Cuándo la levantes, verás lo que ha pasado!

Mezcla de colores de la estación
Sin importar la estación, vete a dar un paseo y observa las plantas, los árboles y las flores. Cuando vuelvas, utiliza tus colores para mezclar los tonos de las cosas que has visto. ¿Qué colores crees que tendrías que usar en cada estación?

Haz una "vidriera de hojas"
Recoge una bolsa de hojas otoñales. Fíjalas al cristal de la ventana con cinta adhesiva transparente. ¡Cuándo el sol pase por ellas se convertirá en una hermosa vidriera!

¡Cambia de color!

Comprueba cómo las plantas absorben agua y... también cambian de color. Pon un poco de agua en un frasco y añade unas gotas de colorante azul o rojo. Mete entonces unas cuantas flores blancas (por ejemplo, margaritas o claveles) en el

agua, déjalas durante unos días, y verás cómo cambian de color. Pruébalo con hortalizas como el apio o la coliflor. Pide a un adulto que las corte después unos días para ver cómo se extiende el color.

Palabras útiles

brote: el diminuto tallo y las hojas que crecen de una semilla.

flor: parte de una planta donde se hacen los frutos y las semillas.

fruto: el fruto contiene y protege las semillas de las plantas.

hoja: parte de una planta que fabrica alimento usando la energía del sol.

néctar: líquido dulce que hacen las flores. Atrae a insectos que, al libarlo (beberlo), se impregnan del polen de la flor.

pétalos: partes coloreadas de una flor.

polen: granos muy finos que las plantas tienen en sus flores. Los insectos y el viento los llevan de una flor a otra.

raíces: parte de la planta que crece hacia abajo, para mantenerla en su lugar y absorber el agua.

semillas: nuevas plantas crecen a partir de las semillas. Tiene una raíz y un brote.

tallo: parte de la planta que une las raíces con las hojas y las flores.

Sobre este libro

Este libro estimula a los niños a explorar y a descubrir la ciencia en su entorno local y familiar, en el jardín o en el parque. Al empezar desde su propio ambiente, pretende incrementar los conocimientos de los niños y su comprensión del mundo circundante, animándoles a examinar el mundo natural y sus procesos de cerca y desde una perspectiva más científica. Se exploran las plantas con flores, sus diferentes partes y cómo se forman y crecen las semillas. Se formulan preguntas para estimular la curiosidad de los niños y se les hace pensar. Unas preguntas reenvían a los niños a otras páginas del libro donde pueden encontrar la respuesta, y otras dan paso a nuevas ideas que los lectores pueden "descubrir" por sí mismos.

Índice